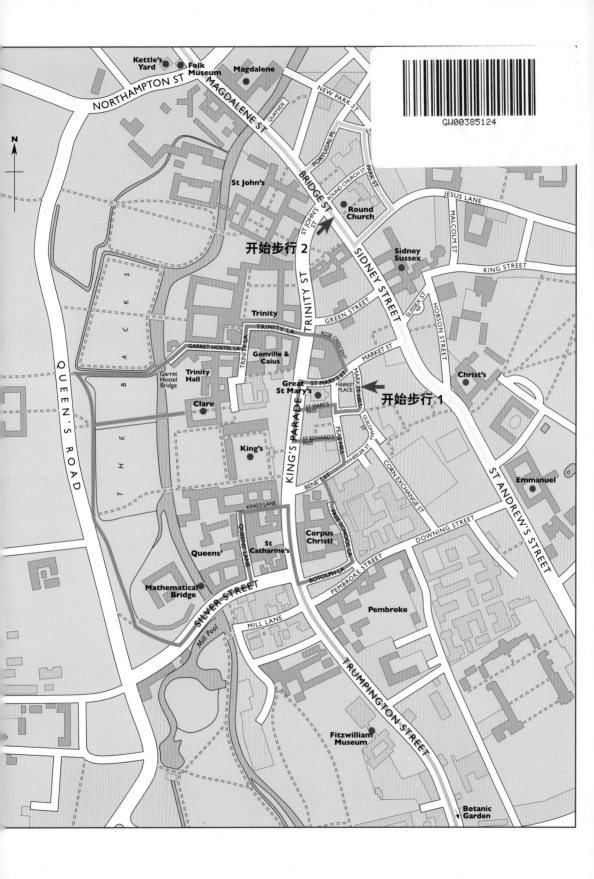

欢迎来到剑桥

剑桥，这座极具古典美感的城市，其实拥有着很多冠军头衔。当您走访各座学院，观赏康河 (River Cam) 对岸的宽阔美景时，请不要忘记：正是在这里，很多发现改变了我们的生活方式。艾萨克·牛顿 (Isaac Newton) 使科学发生了根本上的改变，而查尔斯·达尔文的物竞天择说则打破了几个世纪的信仰。查尔斯·巴贝奇 (Charles Babbage) 是电子信息界的先驱人物，弗兰克·怀特 (Frank Whittle) 发明了喷气机引擎，欧内斯特·卢瑟福 (Ernest Rutherford) 和他的小组首先实现了原子的分裂。当您走访这些学院的时候，您可以看到这些伟大的科学家们生活和工作过的地方，同时您还可以欣赏到漂亮的建筑、礼拜堂和讲堂、庭院和花园、以及无与伦比的建筑结构。您还可以找到非常棒的商店、博物馆、咖啡馆和餐厅，可以在康河上划撑篙平底船，或在步行街上闲逛 — 这是古典和现代的完美融合。

乘坐撑篙平底船沿
学院后园游览

简史

罗马人，那些不屈不饶的侵略者们，在这里建立起一座城池，并在西北主干道上通往考尔彻斯特的十字路口修建了一座用于防卫的城堡。他们曾经的居住地，也就是现在的城堡山 (Castle Hill)，已经成为了一个小镇。接着撒克逊人来到集市山丘附近的康河南岸定居，他们把那里称为 Grantabrycge。随后 Granta 河上建起了一座桥，正是那时人们第一次称这条河为康河，此外人们还修建了一个利润颇丰的贸易码头。这个靠近麦格达伦桥的地方至今仍旧保留着伊始的名称"Quayside（格蕾桥码头）"，尽管如今的河上唯一可见的行船就只剩平底船了。

1068 年前，诺曼底人在城堡山建起军事要塞，用来保卫城镇和防御驻扎在伊利 (Ely) 附近的叛军赫里沃德 (Hereward)。当时所记载的镇名为"Cantebrigge"，最终演变成为今天的"剑桥"。没人知道这条河何时被更名，但是人们猜测地名意为"康河上的桥 (bridge over the river Cam)"，康河由此得名。

若不曾遭到牛津大学镇暴动的破坏，剑桥的历史也许会完全改变。1209 年，一群学生为逃避血雨腥风来到这里。1284 年，彼得学院成为创建的第一所学院，接着克莱尔 (Clare)、彭布罗克 (Pembroke)、冈维尔 (Gonville) 与基督圣体 (Corpus Christi) 学院也相继成立。由于新兴学院的成长，剑桥镇在都铎王朝期间发生了翻天覆地的变化。当时的牛津，由于大学被赋予很多特殊的权力，这使学生与城镇居民间矛盾重重。这段苦痛的岁月一直持续直到 19 世纪早期，那时大部分的大学特权都已经废除。

1845 年，剑桥镇开通了铁路，这座城镇因此开始繁荣起来。1951 年，剑桥凭借其在科学界的卓越成就名声大震，其城市的地位就此确立。剑桥市已经吸引了成百上千家涉足科学领域的企业，与大学联系紧密的剑桥科学园区是欧洲最大的科学园区。

市集 (Marketplace)

市集位于主要购物区的中心。南面是现代购物商厦狮院 (Lion Yard)，悉尼街和圣安德鲁街沿路遍布着高耸的购物商店。可以在附近的小街和过道上找到独立经营的零售商，如玫瑰新月街、格林街 (Green Street)、圣玛丽道和本尼特街。您会看以"集市山丘"和"豆山"为名的街道，但是不要上当受骗 —— 这些地方和城市的其它地方一样平坦。当一千五百年前撒克逊人在这里定居的时候，他们的住所就是从附近的沼泽地上建起来的。

集市 (The market)

在这个大广场上，每星期天都会有集市，在这里几乎可以买到任何东西，从水果蔬菜到古装舞会礼服。周日，这里会加入农贸市场和出售古董、艺术品和工艺品摊位。自从公元 400 年罗马人离开以后，剑桥市的这块区域就成为了城市的焦点。这里有中世纪的市府、监狱、股票交易所和脚手架。现在正对市集的市政厅建于 1937 年。

市集

圣玛丽大教堂 (St Mary the Great)

这座被亲切地称为圣玛丽大教堂的后哥特式建筑俯瞰着市集，它是剑桥大学和剑桥市最重要的教堂。18世纪，三一街那一边的议事大楼完工，在此之前，圣玛丽大教堂只用于举行所有的大学典礼。现在，大学每个学期的两次训教都会在这里举行。这座教堂全天响钟12次，在通往钟塔（123个台阶）的公共入口处可以欣赏到整座城市的美丽景致。圣玛丽大教堂前圣玛丽街的对面，是属于剑桥大学出版社的书店。这座建筑被誉为英国最古老的书店遗址，其开业时间可以追溯到1581年。

玫瑰新月 (Rose Crescent)

这座坐落在玫瑰新月街和集市山丘交接处一角的建筑，曾经是培根的住所，后来成了著名烟草商的住所。墙上的铭牌上刻着诗行"Ode to Tobacco（歌颂烟草）"，诗句出自诗人查尔斯·斯图亚特·卡尔佛列 (Charles Stuart Calverley) 的笔下，19世纪中期他曾就读于基督学院 (Christ's College)。

圣玛丽大教堂

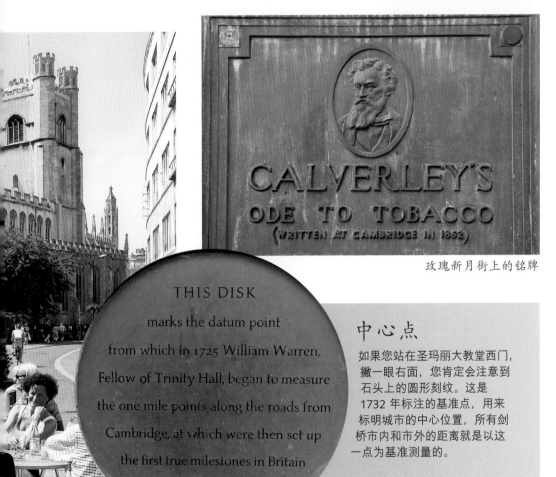

玫瑰新月街上的铭牌

THIS DISK

marks the datum point
from which in 1725 William Warren,
Fellow of Trinity Hall, began to measure
the one mile points along the roads from
Cambridge, at which were then set up
the first true milestones in Britain
since Roman times.

中心点

如果您站在圣玛丽大教堂西门，撇一眼右面，您肯定会注意到石头上的圆形刻纹。这是1732年标注的基准点，用来标明城市的中心位置，所有剑桥市内和市外的距离就是以这一点为基准测量的。

三一大庭院

三一街 (Trinity Street)

狭窄的三一街上遍布着高挑古老的建筑，其中很多成为了专卖店的门面。三一街既通向宏伟壮观的国王广场，也通往剑桥市最优秀的学院。

三一街

冈维尔与凯斯学院 (Gonville and Caius College)

这座创建于 1348 年的学院有三扇大门，标志着学生生涯的各个阶段。入口处的是谦卑之门 (Humility)，美德之门 (Virtue)（或智慧）通往大厅学堂。荣誉之门 (Honour) 和六个日晷，标志着学生生涯的最后阶段，在学生们获得学位时大门将被开启。您会听到人们称这所学院为 "Caius（凯斯）"（发音为 "Kees"），这是因为 1557 年医学家约翰・凯斯（他名字的拉丁语为 "Caius"）重建了学院，为其注入了浓厚的医学传统。

撞钟

三一学院的大庭院是电影 *Chariots of Fire* 中那场著名的比赛的取景地。1927年，David Burghley在大钟两次敲响的时限内及时地绕庭院跑了一圈。随后的80年中，Lord Burghley 是唯一一位官方认可的撞钟者，直到 2007 年 10 月，大学生 Sam Dobin 才重现了当年相同的敲钟技艺。

荣誉之门，冈维尔与凯斯

迈克尔屋中心 (Michaelhouse Centre)

这座曾一度是学院礼拜堂的迈克尔屋教堂，如今已经成为了一家节奏轻快的咖啡馆、展览空间和教学中心，1546 年它与国王大厅 (King's Hall) 学堂合并成为三一学院 (Trinity College)。当地的人们最喜欢去这里喝上一杯咖啡或在这里享用午饭。女士洗手间里有古老的墙面画，而在男士洗手间里则安放着一块墓石。

三一学院 (Trinity College)

那些为诺贝尔奖拼搏的学者们将在这所神圣的学院占据一席之地，专心修学的三一学院已经培养了 31 名赢得这份殊荣的诺贝尔奖获得者。作为牛津与剑桥大学最大的学院，三一学院由亨利三世 (Henry VIII) 创立，但几个星期后他便与世长辞。大门前竖立着他手握桌脚的塑像，从学生们将他手中原有的权杖换成桌脚算起，这根桌脚已经被他握了 100 多年。艾萨克·牛顿 (Isaac Newton)，这位三一学院最著名的学子，曾在内维尔庭院 (Nevile Court) 里计算光速。当时他在北回廊用脚踩地，为回声计时。著名的瑞恩图书馆 (Wren Library) 馆藏着众多价值连城的手稿，大多数日子都会向大众开放一小段时间。

万圣道 (All Saints Passage)

这条人行道的名字源于一座教堂，虽然这座教堂在 100 多年前被拆除，但是教堂所在地得以保留并成为了工艺品集市的定期举办地。

圣约翰学院 (St John's College)

让我们抬头瞻仰这座宏伟的学院门楼，上面的耶鲁 —— 神话中的野兽 —— 支撑着学院创始人玛格丽特·波弗特 (Lady Margaret Beaufort) —— 亨利八世 (Henry VII) 的母亲 —— 的盾徽。一系列布局精美的庭院带领我们前往厨房桥 (Kitchen Bridge)，在那儿您能看到康河上来来往往的撑篙平底船。著名的新哥特式叹息桥 (Bridge of Sighs) 也在这里横跨过康河。圣约翰学院曾拒绝参加 1829 年举办的第一届牛津大学－剑桥大学划船比赛。

圣约翰学院

后园 (The Backs)

春天是徜徉后园（位于六所河边学院与皇后路之间）的最佳时节。在这片绿色的空间里，牛群在这里吃草，林荫大道两旁的大树在草地上撒下斑驳的影子，还有一些开放的草地，这里遍地盛开着水仙花、乌头花、银莲花，和野风信子花，像是铺着了色彩绚丽的地毯。后园曾一度被称为不太动听的"Backsides（后方）"，整块空间分为好几块，分别归邻近的学院所有。

加勒特客栈桥
(Garret Hostel Bridge)

三一巷，是一条狭窄的弄堂，凯斯学院和三一学院的建筑分别高耸在弄堂的左侧和右侧，这条弄堂一直延伸到加勒特客栈巷 (Garret Hostel Lane) 才开阔起来。这时要注意路上飞驰而过的自行车，和安静地停留在斜坡顶端蓄势待发的自行车手。桥边有撑篙平底船站点，您在这里会看到很多在河上游览的人们。这里还能看到圣约翰学院，就在三一学院的那头。您左边的就是三一大厅学堂，克莱尔学院和国王学院的讲堂就在它后面。

三一大厅学堂
(Trinity Hall)

三一大厅学堂由诺维奇的 Bateman 主教在 1350 年创建，创建之初曾经遭遇了在牧师与律师之间流行的黑死病的重创。到如今，三一大厅学堂已经成为公认的律师学院 (lawyers' college)。它的礼拜堂是剑桥最小的一座，标有 Stephen Gardiner 的盾徽，16 世纪他两度成为学院的校长，他还是温彻斯特的主教和非常有能力的政治家。

加勒特客栈桥

拾阶而上

"数学桥"，这座连接康河两岸建筑的桥梁 ― 不论人们盛传的故事中是如何描述的它的 ― 建造时未使用一个螺栓和螺丝钉。它看上去的确很优雅，尽管有些摇晃。

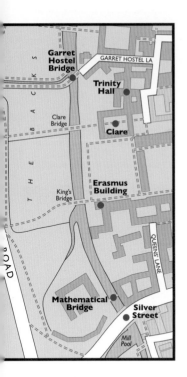

同伴花园，克莱尔

克莱尔学院
(Clare College)

前往克莱尔学院的路途值得细细品位：穿过林荫大道，并越过市内遗存的最古老的桥。如果同伴花园开放，可以欣赏到花园边上两条绿黄相间的绿化带、低凹的池塘、陈旧的砖墙和年代久远的南欧紫荆。克莱尔学院创建于1326年，是继彼得学院之后剑桥第二大古老的学院。克莱尔学院创建初期曾遭遇财政困难，直到富有的Elizabeth de Clare 女士伸出了援助之手，在1338年斥资重建了学院。克莱尔的盾徽和黑色的哀悼带搭配了泪滴状的饰纹，暗示着伊丽莎白不幸的感情生活 —— 她在28岁前失去了三位丈夫。

伊拉斯谟大楼和银街
(Erasmus Building and Silver Street)

当您在后园中继续前行，您肯定会对国王学院礼拜堂这片著名的风景赞叹不已，您还可以领略更为现代的伊拉斯谟建筑的硬朗线条，这座建筑由 Basil Spence 爵士在1960年设计而成，矗立在皇后学院 (Queens' College) 边界的河岸旁（见第10页）。当您到达银街 (Silver Street) 以后，您会发现著名的数学桥，马路对面的是米尔塘 (Mill Pond)，很多游客在这里租平底船开始他们探寻康河的旅程。

盾徽，克莱尔

克莱尔学院和
国王学院礼拜堂

皇后巷 (Queens' Lane)

这条安静的弄堂名字中间的撇号 (Queens' Lane) 并没有搞错，它并不在学院里面。两位皇后，Anjou 的玛格丽特皇后（亨利六世的妻子）和伊丽莎白·伍德皇后（爱德华四世时期的皇后，两位在伦敦塔桥遭暗杀的王子的母亲），都参与了皇后学院的创建。这条弄堂被环抱在学院的各座建筑中，左边是皇后学院，右边是圣凯瑟琳 (St Catharine's) 学院，正前方是国王学院。

皇后学院 (Queens' College)

古典与现代美在这座建于 20 世纪的毫无修饰的伊拉斯谟大楼 (Erasmus Building) 上（见第 9 页）实现了完美的融合，白色水泥修葺的克里普斯庭院 (Cripps Court) 与中世纪的旧庭院 (Old Court) 形成了鲜明的对比，其中建有礼拜堂、图书馆和食堂。注意一下，这里有 18 世纪的日月晷，是世界上为数不多的日月晷之一。矗立在抽水庭院中的伊拉斯谟塔楼是为了向 16 世纪早期在这里教授希腊语的荷兰心理学家致谢而修建的。他曾经抱怨这里的天气和酒，但据说他爱上了这里的女人。

日月晷，皇后学院

圣凯瑟琳学院 (St Catharine's College)

学院大门前的车轮象征着公元三世纪的一位圣人，她本应被绑在车轮上接受酷刑，但是就在她触碰车轮的时候，车轮倒塌了，她因此逃过一劫。可怜的圣凯瑟林，她将很多人的信仰转变为基督教，后来却因为自己的信仰而遭斩首。剑桥最年轻的大学生，聪明非凡的威廉·沃顿 (William Wotton) 自 1675 年九岁开始就开始了在这里的求学生涯。约翰?阿顿布鲁克 (John Addenbrooke)，知名医院的创始人，也曾是圣凯瑟林学院的学生，他死后就葬在学院的礼拜堂内。

圣凯瑟林学院大门

菲茨威廉博物馆 (Fitzwilliam Museum)

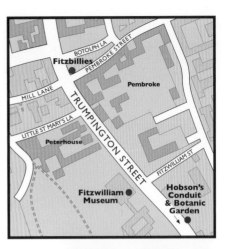

沿特兰平顿街南下走一小段，就到了世界上最伟大的博物馆之一 —— 菲茨威廉 (Fitzwilliam) 博物馆。沿路，有一家以非常讨巧的"菲茨比利斯 (Fitzbillies)"为名的糕饼店，您一定会注意到商店外墙的艺术装饰。再向前漫步 10 到 15 分钟，或者搭一小段公交车（享用特兰平顿公园服务和搭乘服务），就来到了大学植物园 (University Botanic Garden) —— 占地总面积为 40 英亩（16 公顷）。

菲茨比利斯 (Fitzbillies) 糕饼店

菲茨威廉糕饼店因其首创的切尔西螺旋形果子面包而名声远扬，这些面包传遍了世界的各个角落，这家年代久远的咖啡店和面包店其实就坐落在剑桥市。

菲茨威廉博物馆 (Fitzwilliam Museum)

博物馆庭院于 2004 年竣工，提供了健全的参观设施和更为宽阔的空间用来展览那些精美绝伦的收藏品：油画、图画和照片。其它收藏品还包括雕塑、银制品、纺织品、玻璃制品、古董和钱币。馆外，您还可以欣赏到门廊屋顶上的雕刻和两边台阶上的石狮子。

霍布森喷泉 (Hobson's Conduit)

自市集上修建起这座喷泉开始，它已经为城市提供了 250 年的净水。当地的商人和慈善家托马斯·霍布森 (Thomas Hobson) 出资修建了这座喷泉，水源来自 Great Shelford 的天然泉水。

天哪！

2006 年初，一名游客在菲茨威廉博物馆参观的时候，被自己的鞋带绊倒摔下楼梯，将三件稀有而且价值连城的清代瓷瓶撞倒，瓷瓶摔成了 400 多块碎片。此后这些碎片就被放置在楼梯旁的窗沿上展出。

植物园 (Botanic Garden)

J.S. Henslow 教授，这位启发查尔斯·达尔文 (Charles Darwin) 的老师，在这里修建起这座壮丽的花园。这里齐备的植物种类首屈一指，有草本床、池塘、湿地、暖房和标新立异的草地迷宫。

菲茨比利斯

菲茨威廉博物馆

特兰平顿街 (Trumpington Street)

这条繁忙的街道通往剑桥最古老的几所学院，街道的名字很可能取自一座早已消失的农庄。圣博托尔夫教堂是一座带有美丽花园的宁静教堂，它标志着这座历史性城市中心的南部边界。

彼得学院

尽管这是一座最古老的学院（创建于 1284 年），但是只有大厅学堂才是最初建造的建筑。大厅学堂的很多部分也经过了重建，这里拥有由威廉·莫里斯 (William Morris)、爱德华·伯纳琼斯和福特·麦道克布朗尼设计的拉菲尔前派的窗户，还有其它装饰性修饰，包括威廉莫里斯设计的雏菊瓦片。礼拜堂是由马修·瑞恩（克里斯多佛的舅舅）在 1628 年他担任校长的时候修建的，礼拜堂的天花板装饰着金色的太阳。尽管您仍然可以看到原始的东窗，但是 1634 年圆颅党人毁掉了很多装饰性的小天使和彩绘玻璃，这扇东窗在当时被藏了起来，因此免遭毁坏。此后过了很久，彼得学院由于运用科技 —— 它是第一所安装电器的学院 —— 引发了一时的轰动，这是由于发电机产生的尘垢弄脏了当时 Laundress Green 附近的洗衣妇人们晾晒的衣物。

彼得学院

礼拜堂，彭布罗克

彭布罗克学院
(Pembroke College)

身为伊利的主教、查尔斯国王一世 (King Charles I) 的牧师及坚定的保皇主义者的马修·瑞恩，也曾是彭布罗克学院的校务委员。克伦威尔将其投入伦敦塔桥监狱长达 18 年。在他获释的那天，他任命他的侄子，克里斯多佛在他曾经任职的学院修建一座礼拜堂。这座礼拜堂成为了这位年轻建筑师的第一部作品，于 1665 年修建完成并成为圣地。在图书馆外，您可以看到小威廉·皮特 (William Pitt) 的塑像，1773 年他第一次来到彭布罗克的时候才 14 岁。他当选为首相的时候年仅 24 岁 —— 并在他当政期间采用了征收收入税的临时措施。

小皮特，彭布罗克

圣博托尔夫教堂
(St Botolph's Church)

这座通风性良好的教堂充盈着宁静的气息，旅客们在这里下跪祈求旅途平安。四座大钟从 1420 年铸造之日起就没有更换过，紧挨着门内侧的是中世纪的圣水盆，上面盖着罕见的 17 世纪的木盖子。

隐藏良好的珍品

在英国内战期间，大多数学院要向国王或国会上缴银币，但是基督圣体学院却将银币用于对校务委员的关怀 —— 他们被放长假，并获许可可以带走学院的银质餐具。这就是基督圣体学院至今仍保留着市内最完整的改革前期银币的原因。

基督圣体学院
(Corpus Christi College)

这是剑桥唯 —— 所由城镇居民出资修建的学院。十四世纪基督圣体行业协会和贞女玛丽协会的成员希望别人为他们祈祷，所以他们修建了这所学院，这里的学生可能会接受"理论学习"，并要永远为那些行业协会成员祈祷。学院珍藏着价值连城的书籍，包括托马斯·贝克特的诗集和阿尔佛雷德国王撰写的盎格鲁撒克逊人编年史的副本。这些书得以保全，很大程度上要归功于马修（"Nosy（大鼻子）"）帕克（他曾是坎特伯雷的大主教，并在 1544–53 年间出任基督圣体学院的校长），他在亨利八世 (Henry VIII) 在位时修道院解体时期保全了这些书籍。

基督圣体学院

大学
博物馆
(University museums)

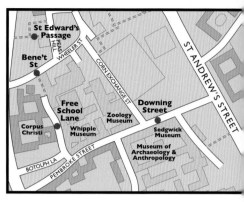

多所用作教学资源的大学博物馆簇集在唐宁街地区，并一直向民众开放。所有的博物馆都是免费参观的，但是在您去博物馆前最好先查一下开放时间 —— 各所博物馆的电话号码列在第 30 页。

唐宁街 (Downing Street)

这条街道和附近的学院得名于乔治·唐宁爵士 (Sir George Downing)，他的祖父修建了伦敦唐宁街上的首相府邸。这所学院在经历了几十年的法律纷争后，终于在 1800 建成，被出售用于支付建造费用的土地成为了大学的唐宁地，建有博物馆和实验室。这里有考古学和人类学博物馆，收藏世界各地的珍品，附近的塞奇威克地球科学博物馆收藏有"大麦格 (Big Meg)" —— 一件毛茸茸的世界上最大的蜘蛛标本（见第 30 页）。马路对面的动物学博物馆的入口处横着巨型鲸鱼的骨架。

标本的由来

动物学博物馆中的很多标本由查尔斯·达尔文运来，他在前往 HMS *Beagle* 的途中收集了这些标本。达尔文，这位基督学院的学生，推翻了他的老教授亚当·塞奇威克（他自己收藏的化石被珍藏在附近的塞奇威克博物馆中）的进化理论。

动物学博物馆，唐宁街

自由学派巷
(Free School Lane)

沿着这条弄堂，您会找到惠普尔科学史博物馆 (Whipple Museum)，博物馆内壮丽的展厅陈列着跨越了几个世纪的仪器和模型。

这条弄堂旁还坐落着卡文迪什实验室，这里是欧内斯特·卢瑟福研究原子结构的地方，也是科克罗夫特和沃尔顿实现原子分裂的地方。詹姆斯·沃森和弗朗西丝·克里克，这两位参与发现

DNA —— 也就是所谓的"生命的秘密" —— 双螺旋结构的科学家，也曾在这里工作。1974 年，实验室迁到了城外的校区。

老鹰酒吧，本尼特街

圣爱德华道

圣爱德华道
(St Edward's Passage)

这条连接着豆山和国王广场的狭窄蜿蜒的过道旁，坐落着两间很棒的书店，两家品质上乘的咖啡店和一座掩映在精心修葺的花园中的小教堂。圣爱德华的教堂国王和烈士教堂，据亚克逊国王爱德华的继母艾芙丽达 (Elfryda)（Ethelred the Unready）的母亲 所说，是为了献给撒克逊国王爱德华，987 年他在 Corfe 城堡遇刺身亡，年仅 15 岁。

本尼特街 (Bene't Street)

老鹰酒吧 (The Eagle pub) —— 二战时期空军士兵出征前曾用打火机在那低矮的天花板上留下了杂乱的信息 —— 是一家充满了历史的酒吧，当时留下的信息被保留至今。酒吧附近就是卡文迪什实验室，外墙上的铭牌是为了纪念那些 1953 年发现 DNA 结构的科学家门。圣本尼特 (St Bene't's)（Benedict 的缩写）的小盎格鲁撒克逊人教堂里竖立着英国最古老的塔楼（可能建于 1025 年），就是在这里，教区执事费边·斯戴曼设计出美妙的响钟声，正如如今我们所听到的。

圣本尼特教堂

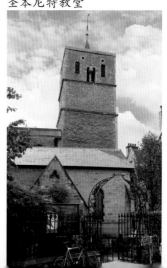

国王学院
(King's College)

这所剑桥最广为人知的学院，1441 年以圣尼古拉斯 (St Nicholas) 学院为名成立，但是直到几百年以后才修建完工。国王学院的礼拜堂，比这座建筑的其它部分提前了大约 200 年竣工，这座礼拜堂因自 1928 年平安夜圣经选段与颂歌节开始的周年广播而闻名于世。

学院的成立
(The founding)
亨利六世，1441 年时年 19 岁，决定为来自他在伊顿创办的另外一所机构的 12 名学者修建一所小学院，以供他们完成学业。他在确定建造一座宏伟的礼拜堂的重大计划前，他先修建了旧庭院，现在旧庭院已经成为了紧挨着议事大楼的旧校的一部分。中世纪时，镇中心的大片土地上的建筑被清除。但是紧接着发生了玫瑰战争 (Wars of the Roses)，1461 年亨利遭废黜，因此此后大部分空地一直荒废了近 300 年。

国王学院礼拜堂
(King's College Chapel)
在接连的几个君王执政时期，国王学院礼拜堂的修建工作进展缓慢，一直到亨利八世付给石匠大师约翰 John Wastell 一大笔钱，让他完成最后的石雕工作。错综复杂的美丽扇形拱顶是世界上最大的拱顶，从 1512 年开始修建，历时 3 年才完工，据说是由工匠大师 Wastell 负责修建的。每一

国王学院礼拜堂

个屋顶上的浮雕，代替了传统的都铎式玫瑰和吊门，足足重达 1 吨。亨利八世在雕刻前放置了橡木屏风，隔开了教堂门庭和唱师班席位，宏伟的彩绘玻璃窗由英国和佛兰德的工匠花了 30 几年时间修建而成。礼拜堂两旁

绘满了《旧约》和《新约》中的场景，东窗描绘了耶稣受难。缠绕在一起的字母"H"和"A"，象征着亨利和他的第二任妻子安妮·博林，被雕刻在门廊的上方。

礼拜堂唱诗班 (Chapel choir)

如果您看到一群头戴帽子身穿无领短外套的男孩鱼贯而入或鱼贯而出礼拜堂，那么他们就是唱师班歌手，他们是国王学院学校的学生，与唱诗班的 14 名大学生一起唱歌。学院大门口有关于合唱队服务的详细介绍。

扇形拱状天花板

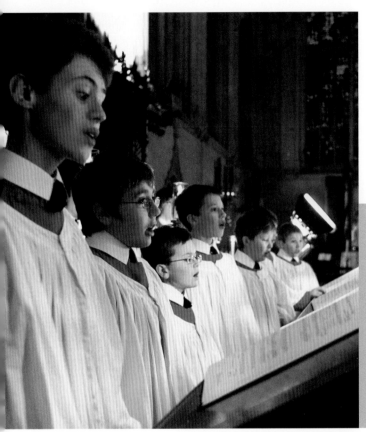

圣诞颂歌服务

圣诞节的精彩场面

每年的平安夜，人们从早上五点半就在国王学院礼拜堂外面排起长队，希望能够获得资格参加圣经选段与颂歌节的欢宴。这项服务始于 1918 年，1928 年第一次被广播，现在在全世界拥有着成百上千万的听众。

最佳景观

鲁宾斯的辉煌绘画杰作 "*The Adoration of the Magi*（东方三博士朝拜）" 于 1961 年由私人收藏家捐赠给礼拜堂，据说画家以自己还在襁褓里的儿子为原型塑造了婴儿耶稣的形象，人们降低了礼拜堂的地板高度，让绘画和东窗得以完整地呈现。

学院 (The college)

礼拜堂于 1536 完工，虽然光彩壮丽，却始终孑然一身，一直到 1724 年同伴大楼动工修建。又过去了一个世纪，威廉·威尔金斯 (William Wilkins) 设计了新哥特式的南部区域，包括学堂、图书馆、石制屏风和门楼。1879 年矗立着亨利六世雕像的喷泉成为了前庭的首要建筑物，而此时已是统治者构思出了他的宏伟修建计划之后 400 多年了

大学 (The university)

"剑桥大学在哪里？"游客们时常会问这个问题，因为宏伟的建筑物随处可见。到处都是剑桥大学 —— 全市遍布的演讲大厅、图书馆、实验室、博物馆和办公楼。学生们在 31 所学院里生活和工作，其中很多学院已有 700 多年的历史。

各所学院 (The colleges)

学生们在各自的学院里分小组学习，这就是知名的"辅导 (supervisions)"。这些自主管理的学院挑选各自的学生，并为他们的福利负责。多数情况下，"校长"领导着学院和高级管理层，这些高管人员参与教学和行政工作，统称为"校务委员会委员"。所有的学生成为各自学院的一员。

大学的运转 (How it works)

大学负责组织演讲、管理实验室和其它实践性工作，为所有学生提供便利的学习硬件设施。剑桥大学共有 60 所分科专业实验室，其中最主要的是大学实验室，其它的实验楼主要用于教学和研究工作，这些实验楼包括座落在克拉克森路上专门研究数学科学的狄奖中心。此外，10 所博物馆，包括菲茨威廉博物馆和植物园（第 11 页），都为大学所用。

剑桥大学生

数学科学中心

老校舍和议事大楼 (Old Schools and Senate House)

老校舍紧挨着国王学院，在圣玛丽大教堂对面，这里是剑桥大学的行政中心；旧校旁边的议事大楼是决策大学政策和为学生颁发学位证书的地方，学生的学位证书通常由大学而非各自的学院颁发。

大学为什么会分成多所学院 (How it happened)

1209 年，一些教师和学生来到了剑桥寻求能够安心求学的地方，他们从饱受骚乱和迫害煎熬的牛津逃到这里，当时牛津的生活及其窘迫。仅过了 50 年，剑桥就拥有了一名大臣、法令系统、一所的有组织的学校、从事艺术和神学研究的校长和教学团队。住宿条件差到令人同情的地步，所以人们向学校捐赠了讲堂和宿舍，1284 年第一所学院彼得学院终于成立。到 1352 年，克莱尔学院、彭布罗克学院、冈维尔和凯斯学院（当时称为冈维尔学院）、三一大厅学堂和基督圣体学院已经成立，其它的学院也随后相继落成。

麦格达伦上的浮雕

三一学院

考察座凳

直到 18 世纪末期，剑桥大学的所有考试都采用口试形式。学生们将和坐在三脚座凳或"三脚板凳 (tripos)"的考官围绕一个主题进行辩论。因此考试中的表达，特别对于剑桥而言，就和现在通过笔试获得荣誉学位考试一样，同样可以获得一定的学位。

各个学院教授什么？ (What they taught)

多数学院成立之初都是神学学校 (Theological)，但是 18 世纪中期的时候受到了艾萨克?牛顿爵士的影响，各所学院的研究中心转向了数学。曾就读于三一学院的牛顿在剑桥出任鲁卡斯数学教授长达 33 年。19 世纪时期，古典和现代科学及工程学也成为了学院的研究方向。如今，学校的研究主题超过 40 了个。

学习生涯 (Student life)

学生们在古老的建筑楼里生活和学习，但是大学生活比以前轻松了很多。现在的学生可以在任何时间自由出入学校，市内行走的时候也不用再穿着他们的长袍。

桥街 *(Bridge Street)*

桥街

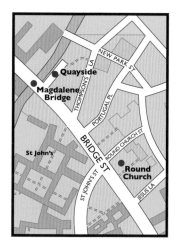

16 世纪的剑桥的很多遗迹可以在这条街道上找到，在这里，木质建筑物的上部楼层延伸到防波堤岸上方。在铺路掘道的时候，出土了很多古老的木料，这些木料都是罗马人为穿越这片曾是沼泽地的土地而铺设的。

圆形教堂 (Round Church)

这座与众不同的诺曼第建筑是英国四座耶路撒冷天城圣墓风格的教堂中最古老的一座，尽管最初落成的时候这座教堂拥有正式的官方名称，但是通常人们称它为圆形教堂。教堂在 1130 年第一次十字军东征后动工修建，这样人们就可以停下来为十字军祈祷。这座教堂现在已经不对外提供任何服务了，但是具有基督教传统的剑桥仍然每天将这座教堂开放，在这里举办展览、音乐会或供游客参观。

麦格达伦桥和格蕾桥码头
(Magdalene Bridgeand Quayside)

罗马人曾在康河北部定居（见第 24 页），就在河对岸湿软的沼泽地区边缘。第一座大桥，大约在公元 750 年建成，已经被更重建过好几次，而现在称为麦格达伦桥的这一座可以追溯道 1823 年。剑桥曾是一个繁荣的码头，与欧洲大陆建立了良好的贸易联系，这里就是当年商船载货卸货的地点。康河上游的左侧，您会看到一些现代的建筑，它们属于圣约翰学院，而您的右侧则是平底船站和格蕾桥码头，那里修建了很多公寓、商店和饭馆。

圆形教堂

平底船
(Punting)

米尔塘

克莱尔桥

成为撑篙者

您可以在密尔巷、格蕾桥码头和加勒特客栈桥租到撑篙平底船。

剑桥的方式
(The Cambridge way)

在其它地方（牛津）也有平底船，乘船的时候最好站在船的后部。剑桥的平底船有十分平整的站台，所以并不限制您所站的位置，此外牛津式的撑篙在这里被认为很差劲。如果您担心会在撑篙时出洋相，或者更糟，溅起很大的水花，请不要担心。并没有太多人知道应该如何撑篙。

撑篙的技巧
(Here's how)

把篙完全从水中提起来，然后让它垂直地滑入后方靠近平底船的区域，直到您感觉到船篙碰到了河床。然后让船篙轻微向前形成角度，均匀地发力向后推，双手随着船篙的长度移动。在平底船向前行进的同时，转一下船篙使它脱离河床，在它上浮的过程中，把它当作船舵调节方向，然后从头到尾再重复上述下落后推的操作。

当康河很脏又充斥着商贸货船时，没有人会把在乘船视为乐趣。现在的康河十分干净，相对而言河面也比较空旷，因此成为了休闲的好去处。

工作船只 (Working boats)

撑篙平底船没有安装驱赶野禽的龙骨和用于芦苇扇的割苇机。不知为何，它们逐渐成为了流行的郊游船只。很多学院都有各自的撑篙平底船，这就是为什么一些学生能够熟练地运用这种不太容易掌握的撑篙技艺，悠闲地逆流而上。

麦格达伦街 (Magdalene Street)

这条中世纪的街道两侧矗立着众多历史性建筑，其中很多已经成为了个体商店、饭馆和酒吧。2006 年街道经历了大规模的门面整修，老旧的正面墙壁被刷成柔和的绿色、桃色、橙色和青绿色，和街对面的麦格达伦学院的老房子相辉映。

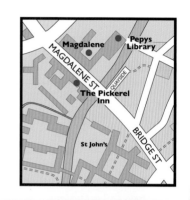

皮克瑞客栈
(The Pickerel Inn)

如今这家酒吧很受当地人和旅客的喜爱，但是这座声名狼藉的建筑在过去曾是一家妓院（这条街上两家妓院中的一家）、鸦片窝、豪华酒店和客车旅馆。

皮克瑞客栈

麦格达伦街

麦格达伦学院 (Magdalene College)

"麦格达伦 (Magdalene)"中间的"g"是不发音的,如果您改变元音的读音,那么就会发出这所学院在 15 世纪时的名字"maudlin(莫德林)"。与其它多所学院不同,麦格达伦学院通常被认为有那么一点特殊。在食堂吃饭的时候要点着蜡烛进餐,学生们参加五月舞会的时候仍旧需要穿戴白色的领结和燕尾服。这所学院在 1428 年建成,当时取名为"僧侣客栈(Monks Hostel)",并立下规矩"这所学院的学生必须比其它学生少去酒馆"。1542 年,亨利八世的大法官 Audley of Walden 男爵重新创建学院,此后学院便更名为圣玛丽·麦格达伦学院。男爵的子嗣仍然拥有选择新校长的权力。

男性的抵抗

麦格达伦学院是剑桥最晚招收女学生的学院。1988 年入学的当天,男人们戴着黑色臂章并降下半旗。

麦格达伦学院

佩皮斯图书馆
(Pepys Library)

1651–1654 年间,塞缪尔·佩皮斯 (Samuel Pepys) 在麦格达伦学院学习,为他曾经就读的学院留下了一座包括他著名的日记在内的馆藏量相当客观的图书馆。 3,000 卷书籍起初是留给他的侄子的,后来被送到了麦格达伦。这位日记作者曾规定这些书应当被放在一起 —— 不能增加也不能缺少。1724 年,这些书籍被收藏在第二庭院现成的大楼中(就是现在的佩皮斯大楼),您在步入大楼时,肯定会注意到中央拱门上方的题字"藏书佩皮斯阿娜 1724 (Bibliotheca Pepysiana 1724)"。这些书卷包括了大量佩皮斯在海军机关和海军部任职时期的官方文件,它们被存放在日记作家自己图书馆的书桌和 12 个红橡木书橱里。

目光短浅

佩皮斯日记中的六卷包含了一百十五万字,时间跨度几乎有九年半时间。作品以托马斯·谢尔顿 (Thomas Shelton) 发明的速记法写就。约翰学院的约翰·史密斯 (John Smith) 花费了痛苦的三年时间来解读这些很小的花体字 —— 没想到后来竟然发现这种速写法的解读方法一直都放在图书馆的书架上。

壶院美术馆和民族博物馆

(Kettle's Yard and Folk Museum)

罗马人选择这块康河北部地势相对略高的区域定居下来。后来诺曼第人攻克了英国，几年后在这里建起一座城堡。尽管最后城市的主体建立在更南部的区域，在这片区域仍旧保留了两座顶级博物馆。

城堡土墩
(Castle Mound)

在这片长满草地的护堤上建造起来的不止一座城堡，而是两座城堡，尽管如今都只剩下一点遗迹。征服者威廉的木塔城寨结构的建筑在1068年修建完成，其后的200年间都被用作皇家城堡和监狱，直到爱德华一世 (Edward I) 采用石料将其重建。各所学院修建的时候，人们从城堡偷取了很多石料，1842年城堡的遗留部分被毁。

壶院美术馆
(Kettle's Yard)

这所小屋远比外面看上去的大，在这里，非凡的艺术收藏品以非传统的方式被展示。敲门后才会被允许入内，您会被领入一条狭小的走廊，这里曾是已故的吉姆·埃德 (Jim Ede)（泰特美术馆馆长）和他的妻子海伦 (Helen) 的家。埃德有慧眼识艺术天才，更棒的是，

城堡土墩

他会鼓励这些天才们。尽管他并不富有，但是他从很多年轻艺术家那里买了（有时是别人送给他的）很多作品，这些年轻艺术家中的有些人后来成为了20世纪早期的著名画家和雕塑家。

壶院美术馆里的艺术品
(Art in Kettle's Yard)

这里的作品都没有标签，您可以坐下来欣赏这些挂在特别位置的绘画作品，瞻仰挂在家具前的 Lucy Rie、Constantin Brancusi、Barbara Hepworth Bernard

Leach 的作品。您可以自由出入埃德的寝室和卫生间，那里到处挂满了图画。阁楼上展示的都是 Henri Gaudier Brzeska 的作品，楼下的绘画作品来自 Ben 和 Winifred Nicholson、Alfred Wallis 和 David Jones。隔壁是现代的壶院画廊，轮流举办当代艺术家的绘画展览，也会定期举办音乐会和讲演活动。

壶院美术馆

剑桥和国家民俗博物馆
(Cambridge and County Folk Museum)

白马客栈 (White Horse Inn) 为剑桥的人们提供了 300 年的美味啤酒。现在，这座城堡道上的古老的木结构建筑身为民俗博物馆，仍然在为大众服务。最早的收藏源自 1935 年，当年当地的人们关注生活方式的快速变化，因此花时间建起了这座博物馆。Florence Ada Keynes 这位成功的作家及社会革命家，身为纽纳姆学院 (Newnham College) 最早的女性大学生之一及经济学家 John Maynard Keynes 的母亲，一直为博物馆的经

民俗博物馆

营操劳到 1958 年过世，享年 96 岁。现在博物馆的展品数量已经超过了 30,000件，包括物品、照片和文献，与此同时，博物馆还会组织研习会、开展儿童活动和提供成年人教育课程。

耶稣绿地

(Jesus Green)

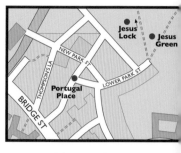

这片区域的北端紧挨着康河，有着令人难忘的遍布着伦敦悬铃树的百年林荫大道，是剑桥宝藏之一。

葡萄牙区 (Portugal Place)

剑桥曾经有很多条像这条未遭破坏的弄堂一样的狭小街道，两边林立着18世纪和19世纪的房屋。在过去，商船停留在附近的码头沿岸，学院所用的大量桌子都是从码头卸载的 —— 由此得名。

耶稣绿地 (Jesus Green)

这座大面积的河畔公园位于耶稣学院的后方，夏天的时候，当地人会来这里打网球，并在这里的海滨浴场游泳，这也是英国为数不多的海滨浴场之一。这里，您可以在河边野餐，或者只是坐在河畔享受宁静。康河附近有一座建成84周年的露天泳池，四周高耸的树木成了泳池的天然屏障，它是英国最大最长的游泳池。夏季，当地的游泳者们会来这里充分享受这份乐趣。

耶稣水闸 (Jesus Lock)

修建于1836年的耶稣水闸是康河上的唯一一个水闸。您可以看到这里拴着很多游艇和游船，您可以走人行桥过河。

耶稣学院

葡萄牙区

剑桥 — 交谈

现在的 Granta 河仅仅是康河的一条支流，但是曾经有一段时期，整条河就叫做"Granta"。没有人能确定这条河什么时候被更名，但是"Granta"这个词经常会在剑桥出现。

圣安德鲁街 (St Andrew's Street)

有三座学院坐落在这条繁忙的购物街的北面。基督学院和伊曼纽尔(Emmanuel)学院有着格外秀丽的花园,悉尼·苏萨克斯(Sidney Sussex)学院是奥利弗·克伦威尔就读的地方,但是从1616－1617年,他在这里只待了一年;他的头就葬在学院礼拜堂的某个地方。

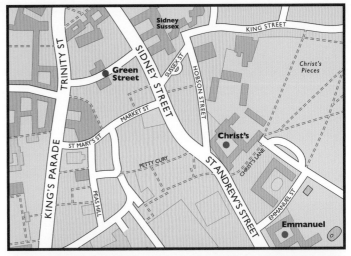

基督学院
(Christ's College)

一所为培训教师们而建的称为"上帝的房子(God's-house)"的小学院,在国王学院修建前期清空土地的时候被夷为平地。有人劝说Margaret Beaufort 女勋爵,亨利七世(Henry VII)的母亲,再修建一所替代学院献给耶稣基督(因此成为基督学院),这就是为什么您能在看到同她修建的另一所圣约翰学院的大门上一样的 ── 她的盾徽和神话中的耶鲁。19世纪的同伴花园有蜂房、浴池和一颗桑树,正是在这颗桑树的树荫下,学生约翰·密尔顿创作着他的诗篇。

伊曼纽尔学院
(Emmanuel College)

乘船漂洋过海并斥资在美国建立起第一所大学的约翰·哈佛(John Harvard),曾是伊曼纽尔学院的大学生,

学院礼拜堂上有纪念他的铭牌,由克莉斯多佛·瑞恩(Christopher Wren)设计。伊曼纽尔学院的地面非常秀丽,这里有香草花园、池塘和精心修葺的栅栏。

基督学校

格林街
(Green Street)

这座街道的名称取自这片土地的曾经拥有者,在这条狭窄的街道两旁坐落着很多个体和有个性的商店。

格林街

27

剑桥生活 (Cambridge life)

剑桥是一座很小的城市，其特殊的风格就在大学与城镇生活的紧密练习中逐渐形成。购物街道贯穿于古老的学院之间，与此同时，学生们、当地居民以及有客们都非常喜欢在康河上撑篙而行。很多大学庆典，也同样成为了城市生活的一部分。各种活动最新的完备信息都可以在游客资讯中心找到（见第 30 页）。

划船比赛

在划船比赛的时候，船员们将船一字沿河排列，两船之间的间隔在一条半船的距离。比赛开始信号一响，他们就在河上追逐开来。当一条船被后面追赶的船撞到的时候，第一条船就要靠岸退赛。第二天，所有相撞的船要交换排列次序，再进行一场比赛。四天后，胜出的船只就是"康河首领 (head of the river)"。稍差的船队可以因每天的冲撞赢得"桨片"。

大学"划船比赛"

划船比赛 (Rowing races)

以"bumps（碰撞）"著称的划船比赛在每年的三月（与牛津大学的划船比赛）、六月（五月划船比赛）和七月（城市划船比赛）举行，参赛队伍就是剑桥大学的各所学院。每年与另一所最高学府牛津大学共同参与的划船比赛，在复活节左右在泰晤士河上举行。1829 年剑桥大学最先提出划船比赛的挑战，在那次比赛中，牛津大学划得距离家乡更近一些，取得了胜利。

RAG 周

如果您看到学生们或是穿着睡衣或是戴着手铐在学院里狂奔，不要觉得惊讶，他们正在参加某项 RAG 活动。RAG 代表着"募集和给予 (raising and giving)"，每年剑桥的 RAG 周都能为慈善事业筹措到超过 165,000 英镑的善款。RAG 周期间有很多活动，比如睡衣裤酒吧爬行、拍卖活动和渡火表演。

节日 (Festivals)

最古老的年度庆典是一场大型的游艺集市 —— 六月仲夏集市 —— 每年都以相同形式在仲夏公地 (Midsummer Common) 举行，已经拥有 800 多年的历史。另外一场流行的庆典是在耶稣绿地举行的五月啤酒节，届时人们会搭起帐篷、竖起台子和售货亭，尽管大部分的当地酒吧也会以这种或者那种方式参与其中。三月国家科学周的时候，剑桥市也会举办很多活动，虽然这些活动由剑桥大学组织，但是有相当多的当地居民参与其中。七月正值著名的剑桥民俗节，在剑桥南部的彻丽·希尔顿大厅 (Cherry Hinton Hall) 举行。来自世界各地的歌唱家和音乐家前来庆祝节日，观看他们演出的观众与日俱增。

剑桥民俗节

五月舞会 (May Balls)

游客们会发现在整个五月和六月初的时候，很多学院只是偶尔向大众开放，因为那个时候学生们正在考试。到了六月中旬，大部分学院的庭院和花园都会耳目一新，此时已经考完期末考试的学生们正在为他们的夜生活做准备。他们搭建起游乐场旋转木马、香槟酒吧、舞池和大小帐篷，年轻的男女在这里尽情跳舞，彻夜狂欢，直到清晨，按照传统撑篙顺流而下到格兰特彻斯特吃早餐。令人不解的是，五月周，也就是五月舞会举办的时节，实际上（和五月划船比赛一样）是在六月。

从五月舞会回来的学生们

信息

ⓘ 游客信息中心

The Old Library,
Wheeler Street,
Cambridge CB2 3QB
电话： 0871 226 8006
网址： www.visitcambridge.org

♿ 购物便利设施

如有需要，可免费使用电动滑车、电动或手推轮椅和脚踏车。请事先来电预订。
Level 5, Lion Yard Car Park
电话： 01223 457452
Level 4, Grafton Centre East
Car Park
电话： 01223 461858

博物馆和画廊

很多博物馆有严格的开放时间 — 参观前请先确认开放时间。
剑桥和国家民俗博物馆
01223 355159, www.folkmuseum.org.uk;
植物园
01223 336265, www.botanic.cam.ac.uk;
菲茨威廉博物馆
01223 332900, www.fitzmuseum.cam.ac.uk;
壶院美术馆
01223 352124, www.kettlesyard.co.uk;
考古学和人类学博物馆
01223 333516, www.archanth.cam.ac.uk;
古典考古学博物馆
01223 335153, www.classics.cam.ac.uk;
动物学博物馆
01223 336650, www.zoo.cam.ac.uk;
斯科特两极研究所
01223 336555, www.spri.cam.ac.uk;
塞奇威克博物馆
01223 333456, www.sedgwickmuseum.org;
惠普尔科学史博物馆
01223 334500, www.hps.cam.ac.uk

旅游团和短途旅行团

请向旅客服务中心咨询下列旅行团以及其它旅行团推出的长短途旅行详情。

蓝章导游带领的步行路线每天从旅客服务中心始发。提供剑桥主题游和私人旅游预约服务。

每周五晚上定期举行"幽灵步行 (Ghost Walks)"。

可以在密尔巷、格蕾桥码头和加勒特客栈桥租用撑篙平底船（见第 21 页）。

可以在很多地方搭乘环城敞篷观光巴士。车票可以上车后购买，也可在旅客服务中心购买。

大麦格，塞奇威克博物馆

剑桥和国家民俗博物馆

地名索引

三一学院

克莱尔学院

菲茨威廉博物馆

封面：圣体学院
封底：考古学和人类学
    博物馆

鸣谢
图片的版权归匹特金出版社
(Pitkin Publishing) 所有，由
Neil Jinkerson. 拍摄。以下的图
片版权归提供图片的友好人士
所有：Alamy: 17tr (Konrad
Zelazowski)，18t (aslphoto)，
28 (Patrick Ward)，29b (Brian
Harris)；剑桥和国家民俗博物
馆：25b；剑桥大学国王学院
教务长及学者们：17b；Rex
Features: 17l, 29t (Geoff
Robinson)；塞奇威克博物馆：
30cr。

出版方特此感谢来自游客信息
中心的 Frankie Magee 以及来自
国王学院礼拜堂的 Cheryl
Cahillane 为本指南的准备工作
提供的协助。

编写者：Annie Bullen；作者有
权维护自己的精神权利。
编辑：Angela Royston
设计：Simon Borrough
图片研究：Jan Kean
地图由 The Map Studio Ltd,
Romsey, Hants, UK 公司基于
© George Philip Ltd 公司的制图
提供。

Printed in Great Britain.
ISBN 978 1 84165 237 5   1/08

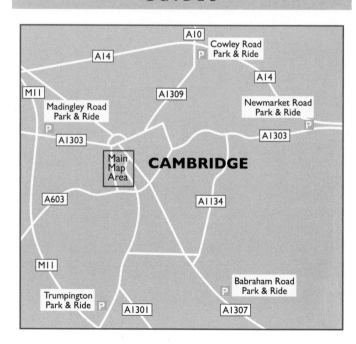